11/21

**UNE AVENTURE DE
NOSTRABEK**

«LA GRANDE ENTREPRISE»

TEXTES ET DESSINS
JEAN DAUMAS

P.A.V. ÉDITEUR QUÉBEC

Je dédie ce premier album à ma descendance et à tous les hommes... (J'y inclus évidemment les femmes; quand on parle d'hommes, on désigne l'humanité! Mon Dieu qu'il faut faire attention) ...À tous ceux qui auront le privilège de vivre l'ère du Verseau, dans lequel nous sommes déjà entrés. Mais je dois aussi le dédier plus particulièrement à Marthe G. qui par sa gentillesse, sa collaboration et le soutien qu'elle m'a apporté a rendu l'accouchement plus facile!

L'humour est à la vie ce que le vin est à la cuisine française... Il permet de la digérer!

INTRODUCTION

Nous sommes déjà au 22e siècle et depuis 200 ans, la planète a connu bien des bouleversements. La dernière grande guerre a laissé peu de survivants et le proche passage d'un énorme astéroïde a causé des désordres considérables. La terre s'étant redressée sur son axe, la quasi totalité de la masse des calottes glacières a fondu. Le niveau des eaux ayant remonté, un grand nombre de basses terres sont submergées.

Au milieu de toutes ces catastrophes, un pays a été en grande partie épargné; il prospère jusqu'au jour où des phénomènes magnétiques diminuent ses capacités en énergie électrique. C'est à ce moment que le Québek (car c'est lui) se prépare à une «Grande entreprise»...

...EN CET ÉTÉ DE 2184, DES ÉVÉNEMENTS MARQUANTS SE PRÉPARENT: LES FÊTES DU 100ÈME ANNIVERSAIRE DE L'INDÉPENDANCE ET LE DÉPART DE L'EXPÉDITION LA PLUS AUDACIEUSE, DE MÉMOIRE D'HOMME.

LE MONDE (ENFIN CE QU'IL EN RESTE) A LES YEUX FIXÉS SUR QUÉBEK... ET...

APRÈS UNE HEURE D'ATTENTE LES ENVOYÉS DES VIEUX PAYS VONT ENFIN CONNAÎTRE LE BUT DE LEUR VISITE GARDÉ JUSQU'ALORS TOP-SECRET...

LE VOILÀ!

CET ÉTRANGE VIEILLARD EST D'UNE DÉSINVOLTURE...

MY GOD! WHO IS BEHIND TIME? C'EST INTO... INTOU... INTOLÉRABLLLLE!!!

MESSIEURS, JE SUIS RAVI... MAIS NOUS ALLONS ÊTRE EN RETARD... NOUS SOMMES ATTENDUS À CÔTE... C'EST TRÈS IM-PORTANT...

?!? ?!?

OH!!

BI-BIP-SALUT-BI-BIP-!-!

UNE GRANDE CONFÉRENCE DE COMMUNICATION AURA LIEU DANS QUELQUES INSTANTS... LES SECRETS DU PROJET O.S.E* SERONT RÉVÉLÉS AU GRAND PUBLIC PAR L'INTERMÉDIAIRE DES "MÉDIATEKS", QUI, BIEN PROGRAMMÉS, TRANS-METTRONT AU MONDE ANXIEUX CE QU'IL DOIT SAVOIR... MESSIEURS, SUIVEZ-MOI! TOI AUSSI KANA...

* OPÉRATION SPATIALE ÉNERGIE

LES "MÉDIATEKS" ATTENDENT SANS IMPATIENCE...

ZZZ...

BHOU,OU...

B'ZZZ...

...BI-BIP-CINQ-QUATRE-TROIS-DEUX-UN-STAND BY...

...CHERS-TÉLÉ-SPECTATEURS-BONJOUR-T.C.O.N* TOUJOURS-À-LA-POINTE-DE-L'INFOR-MATION-VOUS-PRÉSENTE-AUJOURD'HUI-EN-PRIMEUR-TROIS DÉLÉGUÉS-DE-LA-C.A.E: DE-GAUCHE-À-DROITE-LES-SYMPATHIQUES REPRÉSENTANTS: -ERIK-FUN-STRUDLE;-ALLEMAGNE; -HARRY-COVER; ROYAUME-UNI-, CHARLES-DE-PERCHES; FRANCE, À-QUI-NOUS-ALLONS POSER QUELQUES-QUESTIONS-POUR-VOUS....

*TÉLÉ-COMM. OFFICIELLE. NATIONALE

9

... LE PROJET O.S.E. N'EST PLUS UN SECRET... MAIS L'A-T-IL JAMAIS ÉTÉ? EN TOUS CAS PAS POUR CERTAINS!... DEPUIS LONGTEMPS À EL-MAZOUT, SUR LE BORD DU GOLFE PERSIQUE, OÙ LE PÉTROLE NE SE VEND PLUS, DES ESPRITS RETORS ET MERCANTILES ONT DE SOMBRES DESSEINS...

MON AGENT SPÉCIAL, OH! LUMIÈRE DU PROPHÈTE, SERA ICI D'UN JOUR À L'AUTRE... J'AI TON ESTIME?

C'EST PAS L'ESTIME QUI MANQUE ARACHAT... C'EST LA CONFIANCE!

ALLAH EST GRAND!

LE DÉSERT AUSSI! Ø*xx

TU PARLES!

... À TROIS JOURS D'EL-MAZOUT...

ENFIN EL-MAZOUT LA CAPITALE DE L'OR NOIR!!!... LA MEKKE DES CRACS DU CRACKING!!!...

... PAR LA BARBE DI PROPHÈTE, ARACHAT DOIT AVOIR DANS LA TÊTE DES RAISONS IMPÉRIEUSES POUR ME FAIRE TRAVERSER CE DÉSERT! DÉJÀ TROIS GARBAS ET ENCORE SOIF!...

SI J'TENAIS L'ABRUTI QUI A DIT QU'UN CHAMEAU ÇA BOIT PAS!...

... DANS LE QUARTIER RÉSERVÉ, OÙ LES ODEURS DE LA RAFFINERIE N'APPORTENT PLUS L'ESPOIR DE LA RICHESSE, LE SOUVENIR SUBSISTE...

DERRICKS CAFÉ-BAR COCKTAIL-LOUNGE

CLOSED شتو؟

... ARACHAT LAPATALOMAR ET KASSAL ARACHID VOIENT ENFIN ARRIVER L'AGENT SPÉCIAL 6/36...

RAPIDE COMME LE VENT DU DÉSERT, HEIN? HASSANLA BEN ZINN!... 5 JOURS ... FILS DE CHIEN!...

À TES ORDRES MAÎTRE...

LES VOICI TES ORDRES HASSANLA, RETOURNE PAR LE DÉSERT, NUL NE DOIT TE VOIR!

... TU SAIS QUE L'ÉNERGIE ÉLECTRIQUE BAISSE DE PLUS EN PLUS ... QUANT À L'ATOME C'EST FINI DEPUIS LA DERNIÈRE GUERRE... NOSTRABEK PART CHERCHER DE L'ÉNERGIE SUR UNE AUTRE PLANÈTE. S'IL RÉUSSIT NOUS NE VENDRONS JAMAIS NOTRE PÉTROLE. VAS À QUÉBEK ET EMPÊCHES-LE PAR TOUS LES MOYENS ... ALLAH! TE PROTÈGE! P.S. SI TU NE RÉUSSIS PAS TU SERAS PLONGÉ DANS LE PÉTROLE BOUILLANT!...

.. LE LENDEMAIN AU QUARTIER GÉNÉRAL DE LA POLICE ...

..ALORS, VOUS, CETTE EN-QUÊTE, ÇA AVANCE ?

... NOUS SOMMES SUR LES DENTS !

BI-BIP - VAUDRAIT-MIEUX-ÊTRE-SUR-UNE-PISTE !

...SUR LES DENTS... UN TERRORISTE COURT LA VILLE, ET VOUS ÊTES SUR LES DENTS...QUE FONT LES ROBOTS POLICE ?

.. ILS SONT DÉMONTÉS, C'EST L'TEMPS DU TUNE-UP !

... BI-BIP-UNE-HIS-TOIRE-DE-POLICE-MONTÉE-DE-TOUTES PIÈCES.

...MAIS PENDANT CE TEMPS...

H.L.M. FRONTENAC

2 PIÈCES 1/4 À LOUER

... IL A DIT. POUR LA CITADELLE, TI PRENDS STE MONIQUE, TI ENFILES STE FA-MILLE, TI VAS CHERCHER ST LOUIS, TI PRENDS LAPORTE, ET TI TOMBES SUR ST DENIS ... Y Z'EN ONT DES SAINTS LES ROUMIS !

... LÀ J'TI DIS,, PAR TOUS LES DJINNS DE L'ISLAM... Y PARTIRONT PAS !

CITADELL INTERDIT AU PU

... QUI C'EST LUI ?

... P'TÈTE UN ÉCOLOGISTE... Y SONT PARTOUT !

... ALLAH! TI ES BON POUR ASSANLA !... C'EST LA BASE !

... TOI MON ÉTOLE, J'TE TRUSTE PAS BEN, BEN !...

13

14

... ARACHAT, IL A DIT ALLAH TE PROTÈGE ... TU PARLES D'UNE PROTECTION! ٤ پ ט!

... PORTEZ-MOI-ÇA-DANS-LA-SALLE-DU-DÉTECTEUR-S.T.M.* QU'ON-SACHE-C'QUI-FOUTAIT-LÀ!

* SKINNER'S TRUTH MACHINE

... T'AS-POSÉ-LA--BOMBE; AVOUES!

... C'EST-TOI-LE-TER-RORISTE-ARABE! ... AVOUES!

WHOUAAA!

CRS

... TU-VOULAIS-FAIRE-SAUTER-LA-BASE!... J'AUGMENTE-LE-VOLTAGE-CHEF?

... PUISQUE J'TI DIS J'SUIS LIBANAIS!

... METTEZ-MOI-ÇA-EN-CELLULE-RÉPAREZ-LE UN-PEU-ET-PRÉVENEZ-NOSTRABEK!

... J'PEUX PAS, LE PRO-PHÈTE IL A DIT: TI HAN-GES PAS D'PORC!

... C'EST-DE-LA-SOUPE-"RÉSIDANT"-BEANS-AU-LARD-METS-TOI-A-TABLE-ET-MANGES!

... CHACUN-A-SES-MYTHES-MANGES-TA-SOUPE!

... SI J'PARLE JI CRÈVE, SI J'PARLE PAS JI CRÈVE TOUT PAREIL!... QU'EST-C'QUI L'EST MIEUX HEIN?

15

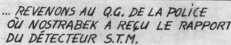

... REVENONS AU Q.G. DE LA POLICE OÙ NOSTRABEK A REÇU LE RAPPORT DU DÉTECTEUR S.T.M.

... LE TERRORISTE À L'OMBRE... PLUS DE DANGER ... PAS SI VITE, LES VÊTEMENTS PROTECTEURS DES DÉLÉGUÉS NE SONT PAS CHARGÉS, ET S'IL Y AVAIT UN AUTRE FOU ?

... LES ROBOTS POLICE SONT REMONTÉS, QU'EST-CE QU'ON FAIT ?

... PLACEZ-EN DEUX DANS LA CHAMBRE DES DÉLÉGUÉS, ET SURVEILLEZ LES ENTRÉES !... MOI J'Y VAIS, VIENS ROBEK !

ET LE TERRORISTE ?

... BI-BIP-IL-N'EST-PLUS-SUR-VOTRE-TERRITOIRE-IL-EST-TERRORISÉ !

... ROBEK, APPELLES LA BASE, CODE ROUGE, PRÉVIENS KANA ET RENDEZ-VOUS À L'HÔPITAL !

BI-BIP-O.K.-C'EST-PARTI !

... MAIS MESSIEURS ... C'EST UN HÔPITAL ICI, PAS UN BAR !!! NOUS PARTONS DEMAIN ET CE SOIR NOUS COUCHONS À LA BASE !!!

... GUTEN TAG ! HERR NOBRASTEK !

... BONJOUR ! M. BRASTONEK !

2-Q-PEUR GIN

10 UP

... D'ABORD VOIR SI LES RÉGÉNÉRÉS SONT EN BON ÉTAT ... ENSUITE, TOUT LE MONDE À LA BASE ! ... C'EST PLUS SÛR !

... À L'HÔPITAL SOUS LA PROTECTION DES ROBOTS POLICE ...

... BI-BIP-DANS-QUELQUES-MINUTES-UN-"BATHYBUS"-NOUS-ATTENDRA-AU-POSTE-D'EMBARQUEMENT-N°3 !

... PARFAIT !... ... MESSIEURS NOUS PARTONS

... YOUP! UN ... YOUP! "BATHYBUS" QU'EST-CE QUE C'EST ?

UN SOUS-MARIN !!!

YOUP!

YOUP!

... C'EST PUS T' NABLE ICITTE... J' PEUX PAS DORMIR !

... QU'EST-CE -QU' ON -EN -FAIT- D' ÇA - CHEF ?

... DANS L'ÉTAT OÙ IL EST, RIEN... METTEZ CE FILS D'ALBION AU LIT, QU'IL SOIT UTILE AU DÉPART DEMAIN !

... CETTE FOIS ÇA MONTE !

... MOI QUAND ÇA MONTE ÇA ME COUPE TOUTE MON ÉNERGIE !

...DANS LA SALLE DE L'ORDI-NATEUR CENTRAL "POLYPHÈME"

... NOSTRABEK AU RAPPORT...

... CONFIRMATION -DÉPART -PRÉVU - HEURE - ET -TRAJECTOIRE -PROGRAMMÉS - ROBOT - PILOTE -SONDE- DÉFECTUEUX -SERA - REMPLACÉ -PAR -HUMANOÏDE- TERRO-RISTE -INUTILE -DÉTRUIRE -PAR - SÉPARATEUR -DE -MOL-ÉCULES - - TERMINÉ -

... MESSIEURS "POLYPHÈME" NOUS CONSEILLE AVEC SA FROIDEUR HABITUELLE, MAIS HASSANLA EST QUAND MÊME UN HOMME, ET, PASSÉ AU B.W.M.* IL FERAIT UN PILOTE DE SONDE TRÈS ACCEPTA-BLE... D'ACCORD ?
*BRAIN WASHING MACHINE.

... BIEN ! PUISQUE NOUS SOMMES D'ACCORDS ... GARDE, ALLEZ CHERCHER LE TERRORISTE ET MENEZ-LE À LA SALLE DU CONSEIL !

... SIDI BEN ZINN VOUS ÊTES CONDAMNÉ PAR "POLYPHÈME" AU SÉPARATEUR DE MOLÉCULES ...MAIS SI VOUS ACCEPTEZ LE B.W.M. NOUS VOUS ENGAGEONS COMME PILOTE DE SONDE... ... À VOUS DE CHOISIR !

... C'EST QUOI ÇA LE B.W.M. HEIN ?

... QUI C'EST C'UILÀ POLYPHÈME ? SÉPARATEUR... Y VONT FAIRE DU SIROP D'ARABE ... LE B.W.M.... AH! LES ROUMIS !

... UNE-MACHINE-À-LAVER-LE-CERVEAU ... ÇA-FAIT-PAS-MAL ... MOI-J'VAIS-CHERCHER-MA -NOUVELLE-TÊTE !

... AH! J'TI JURE , LES ROUMIS ... QU'EST-CE TI PENSES TOI ALLAH ? J'AI LE CHOIX, Y M'ENLÈVENT LES MOL-ÉCULES, OU BIEN Y M'LAVENT LA TÊTE ...

... C'EST D'ACCORD LE B.W.M.

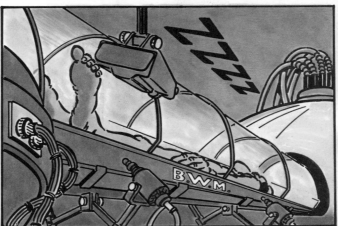

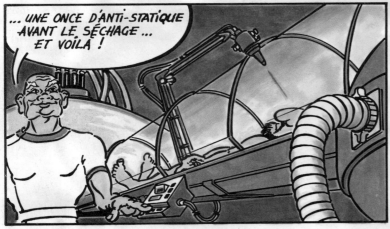

1534-2184

... PARMI LES FESTIVITÉS MARQUANTES, ET NON LA MOINDRE, FIGURE LE DÉPART DE LA TRADITIONNELLE* COURSE TRANSATLANTIQUE QUÉBEK SAINT-MALO...

... À BORD DE CES RÉPLIQUES DE VOILIERS DU XXème SIÈCLE RÈGNE L'ACTIVITÉ FÉBRILE DE DERNIÈRE HEURE...

*LA PREMIÈRE EUT LIEU EN 1984

... TU MONTES TA BARRE LEE ?

... OUI PATRON ... LE CHEVAL COURT, LA TORTUE ARRIVE !

... TOI TU VAS À TERRE CHER- CHER À BOUFFER

BOURRICOT

SAUSSIFLAR

... AU-DÉPART-50-VOILIERS-DE-DIFFÉ- RENTES-CATÉGORIES-SOIT-: LES-P' TITS-MARRANTS-LES-GROS-MARRANTS- ET-LES-PAS-MARRANTS... POUR CES DERNIERS-BATEAUX-A-LA-COQUE- SIMPLE-NOUS-N'EN-FERONS-PAS- UN-PLAT...

... MAIS-VOICI-UN- SKIPPER ... MONSIEUR ! - S.V.P. !

T.C

... MONSIEUR-À-LA- VEILLE-D'UNE-GRANDE COURSE-, QU'AVEZ- VOUS-A-DIRE ?

... Y FAUT DIRE CHICHE ET S'TAIRE !!

BONNE CHANCE !

... DITES ÇA À NOSTRABEK IL VA BEAU- COUP PLUS LOIN LUI !

... MAIS REVENONS AU CAP CARNAVAL OÙ LA SNAQ* PRÉPARE LE DÉCOLLAGE DE NOS AMIS...
* SOCIÉTÉ NATIONALE AÉRONAUTIQUE DU QUÉBEK.

...ET MOI ALORS?

... MESSIEURS, DU CALME, NOUS ALLONS EMBARQUER, J'ESPÈRE QUE VOUS AVEZ TOUS BIEN COMPRIS LES INSTRUCTIONS

SUIVEZ-MOI!

... LES CHOSES ÉTANT CE QU'ELLES SONT... NOUS ENTRONS DANS L'HISTOIRE

... BI-BIP-FAUT-D'ABORD-ENTRER-DANS-LE-CANULAR-BI-BIP!

HURRAH!

ÉVACUEZ-L'AIRE-DE-DÉPART!

... CES GARS LÀ, C'EST QUÉQU'UN.

... ALORS QUE LE COMPTE À REBOURS COMMENCE, LES CŒURS BATTENT PLUS VITE ...

VIVE L'ESPACE LIBRE.E.E.E...

CLAC!

22

...''SÉLÉNIA'' BASE LUNAIRE DE LA S.N.A.Q.

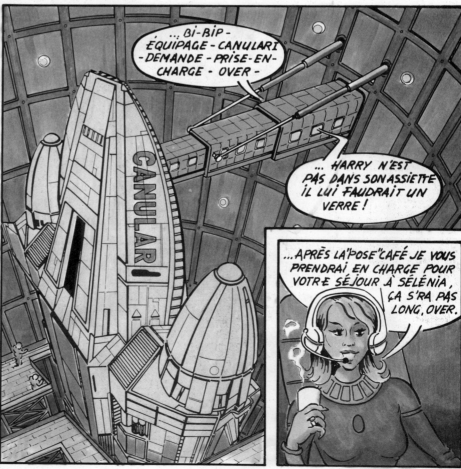

... 15 MINUTES PLUS TARD ...

ENFIN!

... HARRY! DEBOUT

... UN OVNIBUS* S'ARRÊTERA DANS 3 MINUTES DEVANT LA SORTIE N° I IL VOUS CONDUIRA À VOS QUARTIERS ET RESTERA À VOTRE DISPOSITION .... * ORGANISATION DES VÉHICULES NOLISABLES INT.

... BI-BIP- J'BOIS-PAS-D'CAFÉ-MOI!

DEPÊCHONS NOUS!

... DU CALME HARRY, TU VAS L'AVOIR TON VERRE DON'T WORRY!

... BI-BIP- C'EST-PAS-UN-HOMME-C'EST-UNE-ÉPONGE!

... DANS LA SOIRÉE AU S.N.A.Q. BAR ...

... NOUS AVONS DE LA CERVOISE LACTÉE, DU GIN AND BIONIC, OU DES COCKTAILS; CLAIR DE LUNE OU CLAIR DE L'HÔTE ...

... IL A L'AIR MALHEUREUX ...

... ALLAH! Y VEUT PAS QUE J'BOIVE DE L'ALCOOL ...

... TO THE GIRL ...

... BI-BIP- Y-SONT-FOUS!

... AH!, SPOT... MESSIEURS, JE VOUS PRÉSENTE M. SPOT QUI VIENT DE TRÈS LOIN, D'UNE GALAXIE...

... RESTÉ SEUL AVEC SPOT ...

... J'AI UNE IDÉE... VOULEZ-VOUS LE POSTE DE SECOND... HARRY EST ENCORE CHAUD; CE QU'IL ME FAUT SPOT, C'EST UN HOMME À LA TÊTE FROIDE, AU GESTE PRÉCIS, ... D'ACCORD...

... C'EST TRÈS LOGIQUE CAPITAINE ... J'ACCEPTE AVEC GRAND PLAISIR!

25

... NOUS PARTONS DEMAIN SPOT ... TOUT LE MONDE EST ALLÉ DORMIR ... EXCEPTÉ ROBEK, LUI, IL NE DORT JAMAIS! ASSUREZ-VOUS QUE TOUT EST BIEN EN ORDRE!

O.K CAP

... LE LENDEMAIN MATIN...

... VOUS CONAISSEZ TOUS M. SPOT. QUI SERA POUR CETTE EXPÉDITION MON OFFICIER EN SECOND ... VOUS SAVEZ CE QUE VOUS AVEZ À FAIRE, DONC, NOUS PARTONS!

... LES REVERRA-T-ON JAMAIS?

... C'EST QUAND MÊME LOIN 4,5 ANNÉES LUMIÈRE!

... ORTHOPÉDUS EST AU POSTE!

... 843 - SECONDES - AVANT - LE - DÉPART - 842 - 841 - 840 - 839 - 838 - 837...

ZZZZ...

ORTHO...

S.N.A.Q.

... ORTHOPÉDUS! RENTRÉE DES PATTES ET DROIT SUR LE SAS DE L'HÉLIONEF!

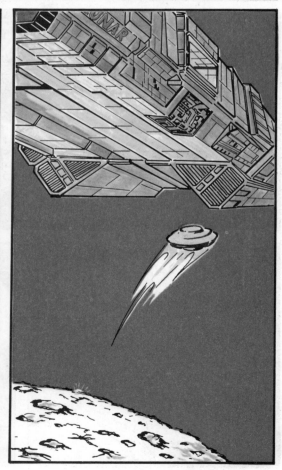

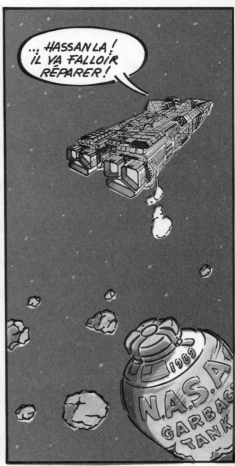

27

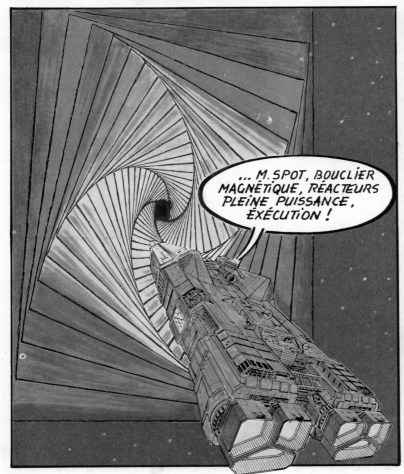

...ON DÉTECTE DES RADIATIONS À 45 AZ 63...

...NOUS ALLONS NOUS POSER AVEC L'HÉLIOBUS... KANA, HASSANLA, ROBEK, ORTHOPÉDUS ET MOI... SPOT, VOUS PRENEZ LE COMMANDEMENT RESTEZ EN ORBITE!

...ORTHOPÉDUS LANDING PRÈS DE L'OBJECTIF!

...DEMAIN HASSANLA PARTIRA EN RECONNAISSANCE AVEC UN SYRPHUS!

...ALÉLAKAWATCH, TOI DIRE QU'EST-CE QUE NOUS FAIRE

...MOI CROIRE DIEUX REVENUS... COMME DISAIT DÉMONIAK... PREVENIR LUI!

...LE LENDEMAIN MATIN...

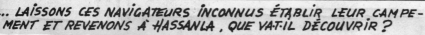

... LAISSONS CES NAVIGATEURS INCONNUS ÉTABLIR LEUR CAMPEMENT ET REVENONS À HASSANLA , QUE VA-T-IL DÉCOUVRIR ?

... QU'EST-CE TI VEUX FAIRE SUR UNE PLANÈTE COMME ÇA

... UNE BIBITE DE MÊME ... SI ÇA PIQUE ...

... ET NOSTRABEK QUI DIT, C'EST SÛREMENT HABITÉ ... TI PARLES !

BANG!

SPLAF!

... ET MAINTENANT LA PLANÈTE IL EST HABITÉE ... ALORS J'PRENDS LE SCOOTER ET J'FOUS L'CAMP !

... AH! J'TI DIS ... ALLAH! ÇA VAUT PAS UN CHAMEAU !

... HASSAN NOUS SOMMES SUR LA TERRE... PATIENCE NOUS ARRIVONS ...

... TA PLANÈTE IL EST HABITÉE ... Y M'LAISSERONT PAS PARTIR!

... IL A DIT, ON EST SUR LA TERRE ... ALLAH! J'TI JURE ... Y SONT FOUS CES ROUMIS!

... HASSAN NE SE SENT PAS BIEN CHEZ SES HÔTES ... LES RADIATIONS VIENNENT DE LÀ ... NOUS PARTIRONS DEMAIN MATIN, ORTHOPÉDUS RESTE

... AU MATIN LA PATROUILLE D'HARRAL TOULTAN ...

... PAR THOR Y'A RIEN À BOIRE!

... FAIT UNE DÉCOUVERTE QUI LA LAISSE PERPLEXE ...

PAR ODIN?

... C'EST LE TRÉSOR?

CHU.U.U.T.T.

???

... LE SYRPHUS ARRIVE DANS UN VILLAGE PLEIN D'ESPOIR DANS LES DIEUX BLANCS ...

... ATTENTION, NOUS ARRIVONS!

TAM-TAM... TAM! LES DIEUX SONT REVENUS!

... LAISSONS LA PATROUILLE À SA TROUILLE ET SUIVONS NOSTRABEK ...

... LE SOIR, SOUS LA LUNE RONDE, LES DIEUX BLANCS GRIMPENT VERS...

... LA CAVERNE SACRÉE DE LA PIERRE QUI PARLE OÙ DÉMONIAK ET FIDBAK COMMENCENT DES INCANTATIONS IRRÉSISTIBLES...

CHER NOS-TRA-BEK

... NOSTRABEK, TOI DIEU BLANC T'ASSEOIR DANS PIERRE QUI PARLE.

...ET LA PIERRE PARLE...

...JE T'ATTENDAIS NOSTRABEK TU VAINCRAS ET TU SAURAS...

HYMÈNOBUS!

PAR-LER D'AMOUR!

COUAC!

40

...HYMÉNOBUS MYSTÉRIEUX MENTOR...

...T'ES-TU FAIT MAL EN TOMBANT MAÎTRE?

...POURQUOI AS-TU CETTE VOIX CA...CA... CAVERNEUSE... HYMÉNOBUS?

...POUR LA COULEUR LOCALE MAÎTRE... AIMES-TU MA VOIX?

...ALORS, VOUS DESCENDEZ, ALLEZ CHERCHER UNE CORDE ET UNE TORCHE!

...QUELQUES MINUTES PLUS TARD...

...LE MYSTÈRE S'ÉPAISSIT À LA LUMIÈRE DE LA TORCHE...

... NOSTRABEK DÉTENDS-TOI, DANS CE SANCTUAIRE DES CONNAISSANCES ATLANTES TU VAS CONNAÎTRE TOUTE LA SCIENCE DE MON PEUPLE QUI A DISPARU DANS UN GRAND CATACLYSME. J'ÉTAIS UNE FEMME NOSTRABEK, LA GRANDE PRÊTRESSE KESKEFELHA. ALIJOURDHUI, SEUL MON CERVEAU EST ENCORE VIVANT DEPUIS DES MILLÉNAIRES, IL FAIBLIT... NOUS DEVONS FAIRE TRÈS VITE... TRÈS VITE...

... LE CERVEAU DE L'ATLANTE EST EN CONTACT AVEC NOSTRABEK ...

... QUI PENDANT SON SOMMEIL HYPNO-TIQUE EMMAGASINE UNE ÉNORME QUANTITÉ DE CONNAISSANCES ...

... NOSTRABEK RÉVEILLES-TOI ... TU VAS TROUVER UN "PSYCHOTRON" SUR LE CHEMIN DU RETOUR, L'ÉNER-GIE QUI TE MANQUE, TU LA REMPLA-CERAS PAR L'ÉNERGIE PSYCHIQUE... ELLE EST PRESQUE INÉPUISABLE... FAIS EN BON USAGE, SINON CE SE-RAIT, TA FIN. NOSTRABEK, TU DÉTIENS MAINTENANT UNE FORCE CONSIDÉRA-BLE ... ADIEU ... VAS-T'EN VITE ... TU N'AS PLUS BEAUCOUP DE TEMPS ... PLUS BEAUCOUP DE TEMPS ... DE TEMPS ...

... QUELLE FEMME ...

...PARTONS VITE...

... HASSANLA, JE TE METS EN CHARGE DU "PSYCHOTRON"!

... REGARDEZ, LE "PSYCHOTRON"!

... ARRIVÉ AU TERME DE SA MISSION LE CERVEAU S'AUTODÉTRUIT ...

LE SYRPHUS

AH! QUELLE FEMME!

... MONTEZ ET PARTEZ D'ICI ET VITE ... ALLONS!

... ADIEU KESKÉFÉLHA, TU AVAIS UN CERVEAU MAGNIFIQUE ...

... Y A PLUS DE SYR-PHUS, ALORS QU'EST-CE QU'ON FAIT M. NOSTRABEK?

... DIEU BLANC... MANITOU TRÈS EN COLÈRE... ... NOUS BIG-MACS ALLONS FAIRE GRAND SACRIFICE!

... TRÈS BONNE IDÉE DÉMONIAK, VOUS NOUS AIDEZ À REGAGNER NOTRE VAISSEAU!

... KONIAK, AMONIAK KATARAK, PATAK, ALÉLAKAWATCH ET JUSKOLAK, VOUS, PREN-DRE, ARMES, CANOTS ET CONDUIRE DIEUX BLANCS À CHAR DE FEU... EUX RETOURNER DANS TERRITOIRE DE CHASSE DU GRAND ESPRIT. DÉMONIAK A PARLÉ!

... MAIS LA PATROUILLE D'HARRAL QUI CHERCHE...

... PAR ODIN, UN LAC... DE L'EAU...

... REPREND COURAGE À LA VUE D'UN CANOT SUR LE LAC...

..PARTONS!

...PAR THOR

..PAR ODIN

... AH! LA VACHE, Y Z'ONT DES CORNES ... COMMENT QUI FONT POUR ENLEVER LEURS CASQUES? AH! J'TI JURE!

... IL EST LOURD!...

... OÙ'EST-CE QU'ON FAIT DU MAURESQUE PAR ODIN?

... UN SACRIFICE POUR LE VOYAGE DE RETOUR

... AH! J'TI JURE FAUT ENCORE QUE J'CRÈVE... C'EST ÉCRIT...

... INUTILE DE COURIR APRÈS, NOUS LE RETROUVERONS, J'ENVERRAI ORTHOPÉDUS. ET HYMÉNOBUS!

... HYMÉNOBUS ET ORTHOPÉDUS VOUS SUIVEZ LA PLAGE VERS LE SUD, ILS NE SONT PAS LOIN. ALÉLAKAWATCH NE FAITES RIEN AVANT NOTRE ARRIVÉE!

... BI-BIP- J'VEUX- Y- ALLER-AUSSI- MOI- !

ALERTE ON NOUS ATTAQUE!

... N'OUBLIEZ PAS LES SCALPS POUR MA COLLECTION...HUG!

... PAR ODIN PRÉPAREZ LES DRAKKARS

45

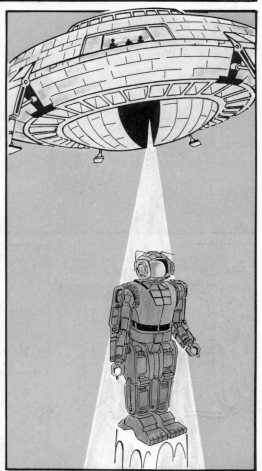

48